Ce livre appartient à :

....

Catalogage avant publication de Bibliothèque et Archives Canada

Loughrey, Anita
        L'hiver de Paulette la chouette / Anita Loughrey ; illustrateur,
Daniel Howarth ; traductrice, Claude Cossette.

Traduction de: Owl's winter rescue.
ISBN 978-1-4431-2294-8

1. Hiver--Ouvrages pour la jeunesse. 2. Hiboux--Ouvrages
pour la jeunesse. I. Howarth, Daniel II. Titre.

QB637.8.L6814 2013   j508.2   C2012-905092-X

Publié initialement au Royaume-Uni en 2012 par QED Publishing.

Édition publiée par les Éditions Scholastic, 604, rue King Ouest, Toronto
(Ontario) M5V 1E1 avec la permission de QED Publishing.

Conception graphique : Elaine Wilkinson

6 5 4 3 2   Imprimé en Chine CP141   14 15 16 17 18

L'hiver de Paulette la chouette

Anita Loughrey et Daniel Howarth

Texte français de Claude Cossette

Éditions
SCHOLASTIC

Perchée sur une branche, Paulette
regarde le bois. Une grosse chute
de neige l'a transformé en un
merveilleux paysage enneigé.

– L'hiver est arrivé,
dit Paulette
en gonflant ses plumes.
Les jours deviennent
plus courts
et plus froids.

Paulette déploie ses ailes et
survole silencieusement le pré.
Elle sait que Mimi la souris
dort quelque part dans
son nid d'hiver.

Le soleil est bas à l'horizon et les arbres projettent des ombres allongées.

— Il y a beaucoup de petites empreintes de pas dans la neige, constate Paulette. Je me demande où elles vont.

Elle suit les traces de pas qui la mènent
jusqu'à l'étang.

Paulette décrit des cercles
au-dessus de l'étang.
Des toiles d'araignée
scintillent dans les
arbustes et les glaçons
brillent comme
des diamants.

Au bord de l'étang,
Martin le lapin
renifle la glace.

C'est si glissant qu'il tombe
sur l'étang gelé.

Cajou l'écureuil accourt.
— Si j'étais toi, je ne m'aventurerais pas
sur la glace! lance-t-il à Martin.

Martin tente de s'éloigner, mais il ne cesse de chuter, de glisser...

et de trébucher sur la glace.

– Fais attention! crie Paulette.

Soudain, la glace se met à craquer.
Martin essaie de ne plus bouger.
La crevasse s'allonge.
— Sauve-toi vite ! s'écrie Paulette.

La glace se brise et Martin tombe dans l'eau
glaciale. Il n'arrive pas
à s'agripper au bord de la glace.

Paulette plonge vers l'étang.
Elle sort Martin de l'eau et
l'emporte dans les airs.

Martin est tout
mouillé et il tremble
comme une feuille.
— Tu m'as sauvé! dit-il.

Paulette se pose et l'entoure
de ses ailes pour le réchauffer.

— Fais attention où tu mets les pieds, Martin, sinon tu t'attireras d'autres ennuis, l'avertit Paulette.

— Merci de m'avoir sauvé la vie, Paulette, dit Martin. Je suis si content d'être à la maison !

Des activités pour l'hiver

Voici des projets simples et amusants à réaliser avec votre enfant.

Fabriquez un bonhomme de neige en ouate. Vous pouvez faire un bonhomme de neige même s'il ne neige pas. Utilisez de la ouate pour la tête et le corps, des cure-pipes pour les bras et du papier de couleur pour le chapeau, le foulard et le visage. Collez les différentes parties sur un morceau de carton pour en faire une belle carte de souhaits!

Découpez des flocons de neige dans du papier. Voici une merveilleuse façon de décorer une chambre pendant l'hiver. Découpez des cercles dans du papier ou du carton blanc, pliez-les en deux trois fois, puis taillez de petites formes tout autour avec des ciseaux. Dépliez vos magnifiques créations et fixez-les à la fenêtre avec de la pâte adhésive.

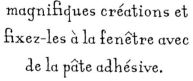

Créez un collage hivernal. Collez de petites branches et des boules d'ouate sur un carton pour fabriquer un arbre. Vous pourriez utiliser du carton argenté pour donner un air encore plus hivernal à votre collage et fabriquer de petits flocons de neige en papier à ajouter au décor.

Interprétez l'histoire avec votre enfant. Utilisez du papier, des feutres, des crayons de couleur et de la peinture pour fabriquer les masques de Paulette et de ses amis. Votre enfant se rappelle-t-il les paroles des personnages? Souhaite-t-il reproduire l'histoire du livre ou veut-il l'interpréter à sa façon?

Qu'avons-nous appris sur l'hiver?

- **L'hiver est une saison froide dans certaines parties du monde.** Quand c'est l'hiver d'un côté de la planète, cela veut dire que ce côté est éloigné du soleil. Beaucoup de plantes se reposent tout l'hiver, mais survivent sous forme de graines ou de bulbes enfouis dans le sol.

- **Mimi la souris dort dans son nid d'hiver.** Les animaux passent beaucoup de temps à se reposer ou à dormir dans des nids ou des terriers chauds pendant l'hiver. Quelques animaux dorment si profondément qu'ils ne se réveillent pas de tout l'hiver! Ce sommeil profond s'appelle l'hibernation.

- **Paulette gonfle ses plumes pour avoir chaud.** Les animaux se gardent au chaud grâce à leur fourrure qui s'épaissit ou à leurs plumes qui deviennent plus fournies l'hiver. Les oiseaux gonflent souvent leurs plumes l'hiver pour emprisonner l'air chaud de leur corps, tout comme une douillette en plumes.

- **Il neige dans les bois.** Si la température de l'air est très froide, les minuscules gouttes d'eau dans les nuages gèlent et forment des cristaux de glace. Ces cristaux s'assemblent en flocons à six branches qui tombent au sol sous forme de neige.

- **Paulette aperçoit des traces de pas dans la neige.** Il est très facile de voir et de suivre des pistes d'animaux dans la neige. Si la neige est très profonde, par contre, les animaux auront beaucoup de difficulté à se déplacer. Les animaux doivent parfois creuser la neige pour trouver des plantes à manger.